巷七年

光和六

表頃巢
孝廉亡

年三月除郎中

拜酒泉
祿福長

訞賊張角起兵

幽冀兗豫荊楊

同時並
動而縣

民郭家
等復造

逆亂燔
燒城寺

萬民騷擾人褱

不安三

郡告急

羽檄仍
至于時

聖主諮
諏羣僚

咸曰君
哉轉拜

郃陽令收合餘

燼芟夷殘迸絕

其本根
遂訪故

壺商量
儁艾王

敞王畢
等恤民

之要存
尉高年

撫育鰥
寡以家

錢糴米
粟賜癃

盲大女桃婓等

合七首
藥神明

膏親至
離亭部

安三年
程横等

賦與有
疾者咸

蒙瘳悛惠政之

流甚於置郵百

姓繦負反者如

雲戢治
廧屋市

肆列陳

風雨時

節歲獲
豐年農

夫織婦
百工戴

是縣前
以河平

元隶遭
白家苦